Het pi-pa-peuterboek

Het grote voorleesboek voor peuters

Het pi-pa-peuterboek

Uitgeverij Ploegsma Amsterdam

Kijk ook op www.ploegsma.nl

ISBN 978 90 216 7069 0
NUR 277

Copyright © diverse auteurs en illustratoren:
zie bronvermelding op pagina 134
Omslagillustratie: Jeska Verstegen 2013,
met bijdragen van Jet Boeke, Dick Bruna en Fiep Westendorp
Vormgeving: Hannah Weis
© Deze uitgave: Uitgeverij Ploegsma bv, Amsterdam 2013

Uitgeverij Ploegsma drukt haar boeken op papier
met het FSC-keurmerk.
Zo helpen we waardevolle oerbossen te behouden.

Inhoud

Dikkie Dik   Lange broek

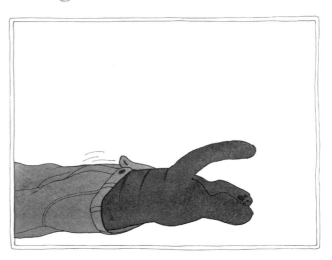

Pak die muis, Dikkie Dik, hij zit in die
lange broek, je hebt 'm bijna!

Heb je hem?

Kijk, daar gaat hij. Hij rent door de linkerbroekspijp. Pak hem, Dikkie Dik!

8

Dikkie Dik weet niet wat links of rechts of boven of onder is.

Hij zit gevangen in de broek.

Een poes met een lange broek.
Heb je ooit zoiets gezien?

Eitjes

Op dinsdag en donderdag gaat Bibi niet naar haar peutergroep. Dan gaat ze de hele dag bij oma spelen. Bibi vindt dat altijd de fijnste dagen van de week, want oma heeft kippen. Bibi vindt oma's kippen geweldig.

'Oma, waarom heb jij geen kuikentjes?' vraagt Bibi.

'Omdat er geen haan in mijn hok woont,' zegt oma. 'Al mijn kippen zijn meisjes, en voor kuikentjes heb je ook een mannetjeskip nodig. Jij hebt toch ook een papa?'

'Waarom woont er geen haan in jouw hok?' vraagt Bibi.

'Hanen kraaien altijd heel vroeg en hard in de ochtend van kukeleku. En de buren in mijn straatje willen niet zo vroeg wakker gekraaid worden.'

Jammer, vindt Bibi, want kippen zijn leuk, maar kuikentjes zijn nog veel leuker!

Dan stappen ze op de fiets. Oma zet Bibi in het fietsstoeltje. De zon schijnt en overal bloeien bloemen. Bibi kijkt haar ogen uit. 'Kijk, oma, lammetjes! En daar: kleine eendjes!'

Ze gaan even in het gras bij het water zitten. Samen kijken ze naar de eendenkui-

10

kentjes. Wat kunnen die al goed zwemmen!
Daarna fietsen oma en Bibi weer verder. Langs weilanden en boerderijen.
Een boerin zwaait vrolijk naar hen als ze langsfietsen.
Kukeleku, kukeleku, kukeleku!
Hé, wat is dat?
Bibi kijkt om zich heen.
Oma stopt met fietsen. Ze denkt even na, zet de fiets neer en tilt Bibi uit het stoeltje. Ze gaat naar de boerin en praat met haar.

Samen lopen ze naar de schuur van de boerderij. Langs een hok met kippen en een haan.
Bibi kijkt naar de stoere haan met de mooie verenstaart.
Oma koopt een doosje met tien eieren van de boerin.
'Kom, Bibi, we gaan snel naar huis,' zegt oma. 'Want weet je wat ik bedacht heb: deze eitjes zijn van kippen met een haan. Hier kunnen dus wel kuikentjes uit komen! Ga je mee?'

11

Thuis maakt oma een nestje in een donker hoekje van het kippenhok. Een lekker nestje van een plak gras met wat stro. Daar legt ze vijf eieren van de boerderij in. En dan zet ze kip Koosje erop. Die vindt dat prima. Ze ziet eruit alsof ze de eieren graag wil uitbroeden.
Oma en Bibi maken van de andere vijf eieren een cake. Voor mama, papa en opa. Maar ze zeggen niets over hun broedgeheimpje.

Vanaf dat moment holt Bibi elke dinsdag en donderdag eerst naar oma's kippenhok. Kijken hoe het met kip Koosje is. Die blijft rustig op haar eieren zitten. Nou ja, háár eieren? De eieren van de boerenkippen en de haan.
Eenentwintig dagen blijft ze zo stil zitten broeden. Eenentwintig dagen houdt ze de eitjes lekker warm met haar zachte verenbuik. En dan…
'Oma, kijk eens wat er onder Koosje zit!' gilt Bibi als ze bij het hok komt. 'Een echt kuikentje!'
Oma tilt kip Koosje voorzichtig op. En dan zien ze tussen allemaal eierschillen vijf donzige kuikentjes. Vijf kuikentjes in een hok met alleen maar kippen en geen haan!
Wat slim van oma om eieren van de boerin te kopen, denkt Bibi. Ze kijkt dolblij naar de schattige kuikentjes.
De kuikentjes van kip Koosje. En van oma en Bibi!

12

Jelle en de baby

'Dat is een dikke buik,' zegt Jelle.
'Er zit een baby in mijn buik,' zegt
mama.
'Wil de baby eruit?' vraagt Jelle.
'Nog een paar nachtjes slapen,' zegt
mama.

Jelle slaapt een nachtje.
En nog een nachtje...

Maar dan… maakt papa hem wakker.
'De baby is er!'
'Jááá!' roept Jelle blij. 'De baby is er!'

Dit is je zusje,' zegt mama. 'Ze heet Evi.'
'Ze heet baby,' zegt Jelle.
Mama lacht. 'Onze baby heet Evi.'
'Ze heet báby!' roept Jelle boos.

'Kom, Jelle,' zegt papa. 'Zeg maar: Dag
Evi!'
'Dag baby,' zegt Jelle.

'Jelle wil ook een fles,' zegt Jelle.

'Nou heb ik twee baby's,' zegt mama.
'Jelle en...'

'Evi!' roept Jelle.

Het ijsje

Het is heel warm. De kinderen van de peuterspeelzaal hebben vandaag geen zin om te rennen. Of om verstoppertje te spelen. Ze zitten in de schaduw op het plein.

'Pffff,' zegt Pieter.

'Pffff,' zucht Maartje. 'Het is zo heet. Ik wou dat het ging sneeuwen.'

Juf Els lacht. 'Dat kan niet in de zomer,' zegt ze. Maar dan springt ze op. 'Je hebt me op een idee gebracht,' zegt ze. En ze loopt naar binnen.

Even later is juf Els weer terug. Boven haar hoofd houdt ze een bruine kartonnen doos. 'Ik weet wel hoe ik jullie af kan koelen,' zegt ze.

'Hoe dan?' vraagt Maartje nieuwsgierig.

'Mogen we kijken?' vraagt Gijs.

Juf Els schudt haar hoofd. 'Eerst raden,' zegt ze.
De kinderen roepen allemaal door elkaar.
'Zijn het lollies?'
'Koekjes?'
'Drop?'
'Mandarijntjes?'
De juf blijft maar met haar hoofd schudden.
'Het is te warm om te raden,' zegt Liesje.
Juf Els laat de doos langzaam zakken.
'Vooruit,' zegt ze. 'Kijk dan maar.'
De kinderen kijken in de doos. Hun ogen beginnen te glimmen. 'IJsjes!' roepen ze.
'Ja,' zegt de juf. 'Waterijsjes. Lekker koud.'

Al snel likken alle kinderen aan hun ijsje. Alle kinderen, behalve Pieter. Lust hij geen ijsjes? Jawel. Maar zijn papa is jarig. En die houdt óók heel erg van ijsjes. Ik bewaar mijn ijsje voor papa, denkt Pieter. Hij stopt het onder in zijn tas. Wat zal papa blij zijn!

Aan het eind van de ochtend komt papa Pieter ophalen.
'Ik heb een cadeautje voor jou,' zegt Pieter.
'Wat lief,' zegt papa.
'Het zit in mijn tas,' zegt Pieter. 'Ogen dicht!'
Papa doet zijn ogen dicht.
Pieter houdt zijn tas open. 'Pak maar,' zegt hij.
Papa stopt zijn hand in de tas. Meteen

trekt hij hem er weer uit. 'Getsie!' roept hij. 'Wat is dat?'
Pieter schrikt. Papa's hand is helemaal plakkerig. Hij kijkt in de tas. Op de bodem ligt een roze plasje. En een stokje.
Pieter begint te huilen. 'Het ijsje!' snikt hij. 'Voor je verjaardag!'
Papa veegt zijn hand af. 'Had jij je ijsje voor mij bewaard?' vraagt hij.
Pieter knikt.
Papa lacht. Hij aait Pieter door zijn haar. 'Gekke jongen,' zegt hij. 'IJsjes smelten als het warm is.'
Pieter kijkt beteuterd.
'Weet je wat?' zegt papa. 'We fietsen snel naar huis. Daar gaan we iets heel bijzonders doen. Met jouw stokje.'
Pieter klimt meteen achter op de fiets. Hij is benieuwd wat papa van plan is.
Eenmaal thuis pakt papa een plastic be-

kertje. Daar doet hij ranja in. En het stokje. 'Zo. Dit zetten we in de vriezer,' zegt
hij. 'En nu gaan we wachten.'
Het wachten duurt heel lang. Pieter heeft
al een boterham gegeten, een toren ge-
bouwd en in de tuin gespeeld. En nóg is
het niet klaar. Pas als het bijna theetijd is,
zegt papa: 'Kom maar mee!'
Samen lopen ze naar de vriezer. 'Let op,'
zegt papa. Hij pakt het bekertje eruit,
houdt het ondersteboven en pakt het

stokje vast. Dan trekt hij het bekertje eraf.
'O,' roept Pieter. 'De ranja is helemaal
hard!'
'Juist,' zegt papa. 'Het is…'
'…een waterijsje!' juicht Pieter.
'Precies,' zegt papa. 'En omdat ik jarig
ben, gaan we dat fijn samen opeten. Of
wil je het liever nog even bewaren in je
tas?'
Pieter lacht. 'Nee hoor,' zegt hij. 'IJsjes
smelten als het warm is. Dat weet ik best!'

De kinderboerderij

het huis van nijntje

dit is het huis van nijntje
het is wel niet zo groot
maar wel heel erg gezellig
de luiken die zijn rood

nijn heeft een eigen bordje
en ook een eigen slab
nijn heeft een eigen lepel
daarmee eet nijntje pap

27

nijn heeft een eigen beker
en die is handig, hoor
want weet je, nijntjes beker heeft
aan elk kant een oor

28

en als het zeven uur is
gaat nijntje net als jij
naar bed... want ook voor nijntje
is dan de dag voorbij

Een, twee, drie, vier

Een, twee, drie, vier,
hoedje van, hoedje van,
een, twee, drie, vier,
hoedje van papier.

Als het hoedje dan niet past,
zetten we het in de glazenkast.
Een, twee, drie, vier,
hoedje van papier.

Lente

32

'Voorzichtig,' zegt Boris, 'de lammetjes zijn
om wild mee te spelen toch echt nog te klein!'

Steeds meer jonge blaadjes, het park wordt weer groen.
Verstoppertje spelen? denkt Basje. Ja, doen!

33

Ik wil een Tuutje

'Mama, ik wil mijn Tuutje.'
'Nee, Tuutjes zijn alleen om te slapen.'

34

'Papa, mag ik mijn Tuutje?'
'Nee, Tuutjes zijn alleen voor in bed.'

Anna is boos. Heel boos.
Niemand luistert naar Anna.

Anna wil nú een Tuutje.
En dat vindt ze...

...bij Broertje.

Broertje maakt veel lawaai...

Maar Anna heeft een lekker Tuutje.

En niemand mag het afpakken!

Het cadeautje

Juultje woont tegenover Max. En Max woont tegenover Juultje. Altijd als Max naar bed gaat, zwaait hij naar Juultje. En Juultje zwaait altijd terug. Behalve deze week. Want Max is niet thuis. Hij is op vakantie, naar zee. Lekker zwemmen. Hij vertrok heel vroeg in de morgen toen iedereen nog sliep. Daarom bakt Juultje nu in haar eentje taartjes in de zandbak, klimt ze in haar eentje heel hoog in het klimrek. En rijdt ze alleen rondjes over de stoep. Saai!

Aan het eind van de middag zegt ze: 'Niks leuk dat Max niet thuis is. Ik wil ook op vakantie.'
'Wij gaan over een tijdje,' belooft mama.
'Maar ik wil nu,' zeurt Juultje. 'Net als Max.'
Mama stopt haar mobiel in een tas. 'Dat kan niet, want papa moet nog werken. En omdat hij vanavond niet thuiskomt, gaan we eten bij Evelien.'
Evelien is een vriendin van mama. Ze werkt in een vliegtuig en is vaak op reis.

'Wat leuk, daar zijn jullie!' zegt Evelien als ze opendoet. Ze omhelst mama. En Juultje krijgt een dikke kus. 'Ha lieverdje van me. Kijk in de kamer eens wat ik voor je heb.'

Op de bank ligt een pakje. Het is ingepakt in glimmend papier.

Juultje durft het bijna niet op te pakken. 'Wat is dat?'

'Een cadeautje,' zegt Evelien. 'Voor jou. Omdat ik niet op je verjaardag kon komen. Kun je het zelf openmaken?'

Juultje knikt en peutert aan een plakbandje. Maar ze krijgt het niet goed los. En omdat ze toch wel heel benieuwd is wat er in het pakje zit, trekt ze het papier kapot.

'O! Een krokodil!' roept ze dan. 'Eentje om mee te zwemmen. Die wilde ik juist heel, heel, heeeeel erg graag!'

Ze trekt de krokodil uit de doos en legt hem op de grond. Dan blijft ze er een tijdje naar staren.

'Vind je hem niet mooi?' vraagt Evelien. Juultje haalt haar schouders op. 'Een beetje mooi, maar ook een beetje gek.'

'Waarom?'

'Hij is plat. En Max heeft een krokodil die dik is.'

'Deze kan ook dik worden, hoor.' Evelien pakt de krokodil op, trekt een ventiel open en begint te blazen. 'PFFF… PFFF!'

Ze krijgt er rode wangen van.

Opeens is de krokodil dik en rond. Juultje gaat erop zitten, midden in de kamer. 'Mam, nu kunnen we op vakantie,' roept ze. 'Papa en jij en ik. En de krokodil! En dan gaan we lekker zwemmen, net als Max!'

43

Wie kan het mooiste tekenen?

'Jij kan niet tekenen,' zegt Jip.
'Wel,' zegt Janneke, 'ik kan wel tekenen.'
'Nietes,' zegt Jip.
'Welles,' zegt Janneke.
'Geen ruzie, hoor,' zegt moeder. 'Gaan jullie maar zitten. Aan de tafel. En hier heb je papier. Nu mag je tekenen. Allebei.'
Jip en Janneke gaan zitten. En ze krijgen ook nog een potlood van moeder. En ieder drie krijtjes. Rood, groen en geel.
'Zo,' zegt moeder. 'Nu eens kijken, wie het mooiste kan tekenen.'
Janneke is al druk bezig. Haar tongetje steekt uit haar mondje.
Maar Jip zit nog te verzinnen. Hij weet niet wat hij tekenen zal. Eindelijk gaat hij beginnen.
Het is nu heel stil in de kamer. Je hoort alleen de krijtjes krassen.
'Zo,' zegt Janneke. 'Ik ben klaar.'

'Wacht even,' zegt Jip. 'Wacht heel even. Ja, ik ben ook klaar.'
'Laat me maar eens kijken,' zegt moeder.
'O, Janneke, wat een mooi huis! Met een boom ernaast. Heel mooi! Nu dat van jou, Jip.'
Moeder kijkt naar de plaat van Jip.
Dat is Sinterklaas.
'En wie heeft gewonnen?' vraagt Janneke.
'Even kijken,' zegt moeder. 'Janneke heeft de eerste prijs voor tekenen. Hier zo, een chocolaatje!'
'Hè,' zegt Jip treurig.
'Maar,' zegt moeder, 'Jip heeft de eerste prijs voor kleuren. Hier, Jip, ook een chocolaatje. En we zullen allebei de tekeningen ophangen,' zegt moeder. 'Boven de schoorsteen.'
En Jip is trots.
En Janneke is ook heel trots.

44

De peuterspeelzaal

Het eiland dat van niemand is

Tussen het land van keizer Zeng en het land van koning Koko ligt een eiland dat van niemand is. Het is geen mooi eiland. Eigenlijk is het niet meer dan een stuk rots dat uit de zee steekt.
Vandaag komt koning Koko met keizer Zeng over het eiland praten. Zijn zoontje Kim gaat mee.
'Welkom in mijn paleis,' zegt de keizer. 'Wat is je zoon al groot.'
Koning Koko knikt. 'En jouw dochter dan!'

Hij zwaait naar Pien, die op een kleed met haar pop speelt. Kim loopt op haar af.
De koning glimlacht. 'Zo, die gaan fijn samen spelen. Dan kunnen wij even pra…'
Hij kan zijn zin niet afmaken. Een harde gil klinkt door de zaal. Het is Kim. Hij trekt aan de pop van Pien. Maar Pien laat niet los. 'Die is van mij!' zegt ze boos.
'Ik wil hem even,' roept Kim.
'Er is genoeg speelgoed voor jullie allebei,'

sust keizer Zeng. Hij schenkt thee in en gaat met koning Koko aan tafel zitten.

'Ik wil het eiland dat van niemand is hebben,' begint de koning.

Keizer Zeng verslikt zich.

'Ik heb het nodig,' gaat koning Koko verder. 'Want ik ga er een visvijver graven. Voor mijn karpers. Dat zijn joekels van vissen. En ik heb nergens anders plek.'

Keizer Zeng gaat rechtop zitten. Hij kucht. 'Tja. Nu je dat zo zegt, wil ik het eiland ook wel hebben.'

'Hoezo?'

Voor de keizer kan antwoorden, wordt hij geroepen door Pien. 'Papa! Hij heeft mijn toren omgeduwd!'

Kim jammert. 'Ik wil ook spelen!'

'Jullie kunnen toch samen een toren bouwen?' stelt koning Koko voor.

Daarna gaan hij en keizer Zeng weer verder met hun gesprek.

'Ik zou op het eiland een park willen maken,' zegt de keizer. 'Met zacht gras en hoge bomen. En met een hele grote glijbaan om vanaf te zoeven.'

Hij kijkt dromerig voor zich uit, tot een gouden stuiterbal tegen zijn hoofd knalt.

'Mijn bal!' schreeuwt Kim.

'Mijn beurt!' roept Pien.

'Gaat het?' vraagt koning Koko aan keizer Zeng. 'Ik vrees dat het eiland trouwens wel een ietsepietsie meer van mij is dan van jou.'

'Echt niet,' zegt keizer Zeng meteen.

'Het ligt dichter bij mijn land dan bij dat van jou,' zegt koning Koko.

Keizer Zeng staat op en pakt de wereldbol. Met hun theelepeltjes meten de koning en de keizer de afstand tussen hun landen, en het eiland dat van niemand is.

'Zie je wel,' roept de keizer. 'Het ligt precies in het midden.'

'Als jij het zegt,' bromt koning Koko. 'Maar toch wil ik het hebben. Ik zie ineens de rotsen voor me, en hoe je daar vanaf kunt racen.'

Keizer Zeng fronst zijn wenkbrauwen.

'Ik hou van heel hard rijden,' zegt koning Koko.

'Schommels,' zegt keizer Zeng vlug. 'Ik hou van heel hoge schommels.'

'Maar niet op het eiland hoor,' zegt de koning. 'Want ik wil…'

Hij wordt onderbroken door zijn zoon.

'Ikke!' gilt Kim. Hij staat midden in de paleiszaal en probeert een puzzeldoos van Pien af te pakken.

'Nee!' krijst Pien, maar de doos glipt uit haar handen en valt op de grond. Duizend puzzelstukjes vliegen door de zaal.

Keizer Zeng loopt rood aan. Hij slaat met zijn vuist op tafel en brult: 'En nou is het afgelopen! Samen spelen, samen delen!'

Even is het doodstil.

De koning en de keizer kijken elkaar aan. Ze grijnzen en schudden zachtjes hun hoofd.

'Samen spelen, samen delen,' herhaalt koning Koko. 'Je hebt gelijk. Laten we dat doen.'

Meteen de volgende dag beginnen de koning en de keizer aan de bouw van een fantastisch pretpark op het eiland, dat nu van iedereen is. Er komt een vijver met karpers en bootjes in alle kleuren van de regenboog. Ze planten bomen en weidevelden. Ze zetten er een speeltuin neer, met een achtbaan en de hoogste schommel van de hele wereld. Zelfs Kim en Pien spelen er graag samen. Alleen wanneer Pien op de superschommel zit en Kim op zijn beurt moet wachten, gilt hij nog wel eens een piepklein beetje. Maar al lang niet meer zo hard.

Een nachtje in de tent

Ergens in de duinen, op een eilandje hier niet eens zo ver vandaan, ligt de allerleukste camping van de wereld. Je hebt er een giga-lange glijbaan, een schommel die zo hoog gaat dat je de zee kunt zien en op het strand is er plek voor wel duizend zandkastelen. Ook wonen er een heleboel dieren: een hond, een ezel, een poes en drie pony's.

Maar nu is het nacht. En alle kindjes van de camping slapen. Alle kindjes, op één jongetje na. En dat is Sammie.

Sammie is klaarwakker. Hij ligt in een slaapzak met vliegtuigjes erop en samen met zijn knuffelaapje Coco luistert hij naar de geluiden.

Waf woef.

Dat is de hond die blaft.

Ie aa ie aa.

Dat is de ezel die balkt.

Miauw miauw.

Dat is de poes die miauwt.

Hihihihi.

Dat zijn de pony's die hinniken.

Brom brom brom.

Brom brom brom? Van wie was dat? Sammie denkt diep na. Woonde er misschien een beer op de camping? Vanmiddag had hij na het schommelen alle dieren geaaid. De hond, de ezel, de poes en de pony's. Een beer had hij niet gezien. Wie weet zat er eentje stiekem in de schuur verstopt. Dat kon best. De schuur was groot. Als de boer de deur dan maar goed op slot had gedaan, want beren zijn... beresterk.

Brom brom BROM

Nu hoort Sammie het weer! Het lijkt wel of het gebrom steeds dichterbij komt. Hij kruipt een stukje dieper zijn slaapzak in.

Brom BROM BROM

O nee! Nu weet hij het zeker, de deur was vast niet goed op slot en nu is de beer op zoek naar eten. En in de voortent liggen rozijnenkoekjes en appels en lolly's en...

'Weg beer, weg jij!' roept Sammie zo hard hij kan. Met zijn armen en benen schopt en slaat hij tegen het doek van de tent. Ook aapje Coco helpt mee.

'Sammie, wat doe je nou?'

Dat is papa, papa is wakker! Gelukkig! Al klinkt hij nog een beetje slaperig.

'Je schopt zo wild in het rond dat de tentstokken ervan wiebelen.'

Vlug rolt Sammie naar papa toe en hij kruipt dicht tegen hem aan. 'Ik hoorde een beer, papa. Een beer met honger. Luister maar.'

Papa slaat een arm om Sammie heen en een poosje zijn ze allebei stil.

Waf woef.

Dat is de hond die blaft.

Ie aa ie aa.

Dat is de ezel die balkt.

Miauw miauw.

Dat is de poes die miauwt.

Hihihihi.

Dat zijn de pony's die hinniken.

De brom brom brom hoort Sammie ineens niet meer.

Papa grinnikt zachtjes en geeft Sammie een kusje. 'Ik denk dat je de beer hebt weggejaagd! Wat een dappere zoon heb ik toch.'

'Echt waar? Denk je dat echt?' Sammie kan het bijna niet geloven.

'Weet je, Sammie, soms, als vaders heel erg moe zijn, brommen ze in hun slaap als beren. Snurken heet dat, had je dat nog nooit eerder gehoord?'

Sammie schudt zijn hoofd. Maar dat ziet papa natuurlijk niet, daar is het veel te donker voor. Opgelucht haalt Sammie adem. Papa was aan het snurken, dáár kwam het gebrom vandaan. Gelukkig maar dat papa geen beer is!

'Weet je wat,' zegt papa. 'Ik heb een geweldig goed idee. Kruip eens uit je slaapzak.' Hij knipt de zaklamp aan, schuift de berg met kleren aan de kant en doet zif zaf zoef met de ritsen. 'Kijk, ik rits onze slaapzakken aan elkaar. Van twee kleine slaapzakken maken we één grote waar we allebei in passen. Als je dan het gebrom weer hoort, kun je me meteen wakker maken. Knijp maar in mijn neus, volgens mama werkt dat altijd goed.'

Een paar tellen later ligt Sammie samen met papa en aapje Coco in de reuzeslaapzak. In een heel fijn warm holletje en het enige wat Sammie nog hoort is de zee.

Sjjj sjjj sjjj.

Sjjj sjjj sjjj.

Kleuren kun je eten

rood

Kim mag met papa mee, ze gaan boodschappen doen in de grote winkel. Er zijn zo veel verschillende dingen om te kopen en eten. En alles heeft een andere kleur.

54

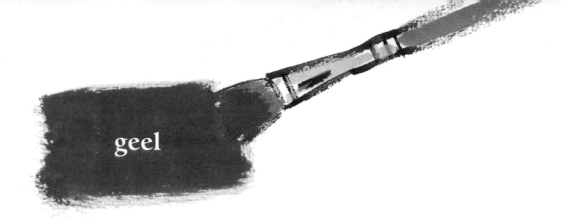

geel

Papa pakt een tomaat, die is… rood. En een rode paprika.
Kim pakt alvast een aardbei uit het bakje. Die is ook rood, en lekker!

Kim houdt veel van bananen, die zijn geel. Maar een gele citroen vindt ze veel te zuur… Brrr.
En daar ziet ze een gele meloen, en maïs.

groen

blauw

Samen zoeken ze een mooie krop groene
sla uit, en een komkommer. Papa pakt
ook groene boontjes en daarna nog blauwe druiven, blauwe bessen en natuurlijk

blauwe pruimen. En een oranje wortel,
en… mandarijntjes. Die vindt Kim het
allerlekkerst!

oranje

Papa legt alles op de band en dan gaan ze
naar huis.

Zo, alle kleuren samen op jouw bordje,
Kim. Smakelijk eten!

bruin

'Goed gedaan,' zegt papa. 'Alle kleuren
samen, dat wordt bruin.'
Maar bruin ruikt niet lekker, vindt Kim.
'Bah!'

Op een grote paddenstoel

Op een grote paddenstoel
rood met witte stippen,
zat kabouter Spillebeen
heen en weer te wippen.

Krak, zei toen de paddenstoel,
met een diepe zucht.
Allebei de beentjes,
hoepla in de lucht.

Muis binnen

Muis
buiten

63

Muis dag

Muis nacht

Ziek

Toen Wies ziek was, lag ze op de bank.
En mama was zielig, zei ze, want ze kon
niet naar haar werk.
Ze moest...

sap voor Wies persen
en boterhammen zonder korst
voor Wies klaarmaken
en Wies op het potje laten
plassen
en dvd's opzoeken
en Wies voorlezen
en Wies temperaturen.

66

mama knuffelde haar zo vaak
en ze lag zo zacht en warm op
de bank
en ze kreeg sap
en heerlijke boterhammen
zonder korstjes
ze hoefde niet naar die koude
wc voor een plas
en ze mocht dvd's kijken
en lekker veel voorlees-
verhaaltjes uitkiezen
en als de thermometer kwam,
kneep ze gewoon haar billen
dicht (dan stopte mama hem
onder haar arm).

Toen Wies ziek was, was ze lekker zielig.

Mama had het drukdrukdruk.
En Wies?
Zij was ziek. Zij kon niet naar de crèche.
Maar...

67

Zomer

Boris ligt lui in de wei en hij lacht
om Basje die haast heeft – en liever niet wacht.

Ze gaan in het water en dan ervandoor...
Wie kan er hard zwemmen? Ja, wie ligt er voor?

69

In het kleedhokje

Mama heeft een nieuwe jurk nodig. En omdat papa niet thuis is, mag Nina mee naar de stad.
Ze gaan met de fiets.
Als ze er zijn, tilt mama Nina uit het stoeltje. Ze zegt: 'Goed bij me blijven, hoor.'
Nina knikt en houdt haar moeders hand stevig vast.
Mama bekijkt veel etalages en na een tijdje zegt ze: 'Ja, hier wil ik even naar binnen.'
Ze stapt de winkel in en bekijkt de kleren op een rek.
'Mam, hou me nou vast,' zegt Nina.
'Hier hoeft het niet,' zegt mama. En ze zoekt verder.
Een mevrouw vraagt: 'Kan ik u helpen?'
Mama knikt. 'Deze jurk vind ik wel leuk. Heeft u die ook in mijn maat?'
De mevrouw gaat de

jurk voor mama halen. 'Wilt u ook even passen?' vraagt ze dan. Ze wijst naar een paar hokjes met een gordijn ervoor.
Mama kijkt naar Nina. 'Blijf jij hier even wachten? Ik ben zo klaar.'
Ze gaat in een van de hokjes staan en trekt het gordijn dicht.
Nina leunt tegen een rek aan. En daarna tegen een pop. Als die bijna omvalt, schrikt ze.
Als ze weer opkijkt, is mama's hokje leeg. Hè, hoe kan dat nou?
Nina kijkt gauw bij de

70

andere hokjes. De gordijnen zijn dicht
en ze ziet overal alleen voeten. Die in het
eerste hokje, zouden die soms van mama
zijn?

Nina trekt het gordijn open. Voor haar
staat een mevrouw in een klein truitje en
een onderbroek. 'Zeg, laat dat!' roept ze
boos. Met een ruk trekt ze het gordijn
weer dicht.

Nina trekt nog een gordijn open. Maar
ook in dat hokje staat mama niet.

'Wat doe je nou?' klinkt het dan. Daar
komt mama aan, met een andere jurk in
haar hand. Maar opeens wil ze die niet
meer passen. 'Kom, we gaan naar huis,'
zegt ze. 'Goed bij me blijven, hoor.'

'Dat deed ik toch ook,' zegt Nina. 'Ik liet
jou niet los, maar jij mij… En toen ging
je ook nog verstoppertje spelen achter
zo'n raar gordijn!'

71

Ik zag twee beren broodjes smeren.
O, het was een wonder.
Het was een wonder, boven wonder,
dat die beren smeren konden.

Ik zag twee beren

Hi hi hi!
Ha ha ha!
Ik stond erbij
en ik keek ernaar.

De erwtjes van Epke

'Epke, treuzel niet zo.' Mama klinkt niet
boos, wel streng. Heel erg streng. 'Pas als
je bordje leeg is, krijg je vla.'

WAT? Pas als zijn bord leeg is, krijgt
hij vla?
Epke kijkt naar het bord dat nog vol met
erwtjes ligt. De rijst is op. Geen korreltje
meer van over. De gehaktballetjes zijn
op. Geen kruimeltje meer van over. Maar
de erwtjes. Brr. Epke rilt ervan. Hoe-
veel zijn het er wel niet? Een, twee, drie,
acht. Nee, niet acht. Wat kwam er nou
na drie? Nog een keer: een, twee, drie...
Epke weet het niet. Veel in ieder geval.
Veel te veel. Misschien wel DUIZEND of
wel TWAALF. Kun je het je voorstellen?
TWAALF HELE ERWTJES?

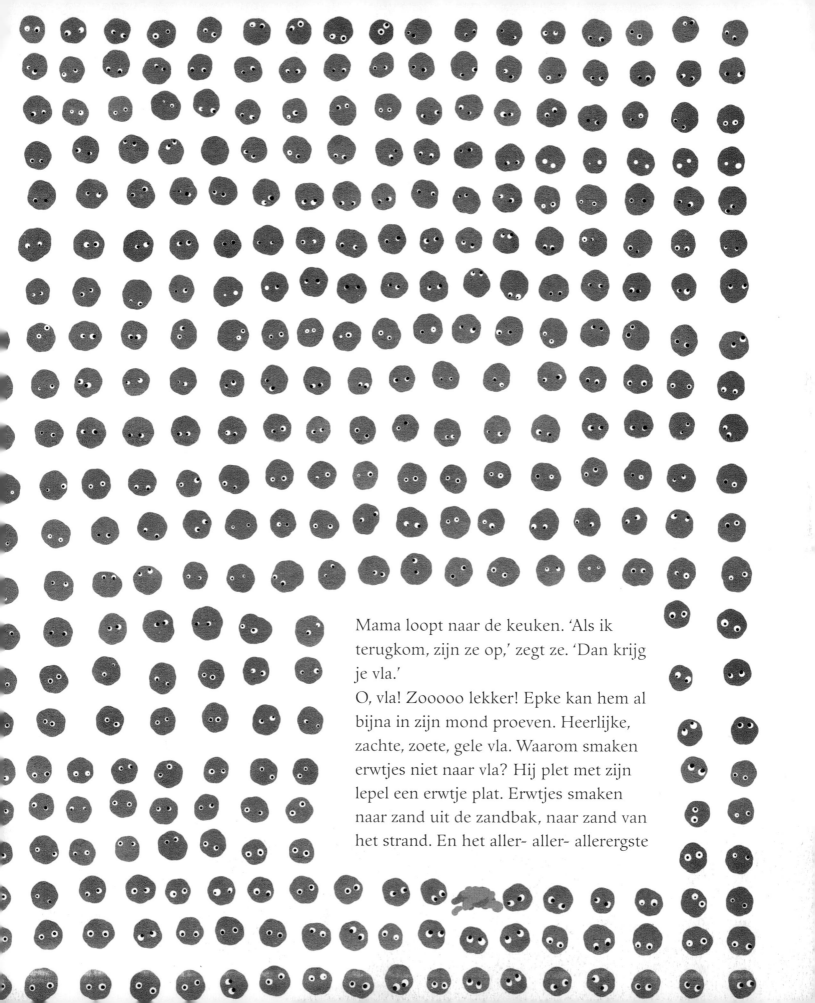

Mama loopt naar de keuken. 'Als ik terugkom, zijn ze op,' zegt ze. 'Dan krijg je vla.'

O, vla! Zooooo lekker! Epke kan hem al bijna in zijn mond proeven. Heerlijke, zachte, zoete, gele vla. Waarom smaken erwtjes niet naar vla? Hij plet met zijn lepel een erwtje plat. Erwtjes smaken naar zand uit de zandbak, naar zand van het strand. En het aller- aller- allerergste

is dat ze groen zijn. GROEN!
Wie eet er nou groen? Groen als gras.
Groen als de blaadjes in de bomen.
Groen als de lelies in de vijver waar hij
niet mag komen. Groen als... groen als...
als een rups. Misschien zijn het niet eens
erwtjes, misschien zijn het opgerolde
rupsen uit de tuin.
Epke duwt met zijn lepel tegen een erwtje, zoals hij met een takje in de tuin tegen
de rupsen duwt. Het erwtje rolt weg,
stuitert over de rand van zijn bord, over
de tafel en tegen zijn beker. De beker die
nu nog leeg is, maar waar mama straks
vla in gaat doen. Als hij zijn bordje leeg
heeft.

Hij moet iets bedenken.
Hij MOET iets bedenken.
De hond! Hij moet de erwtjes aan de
hond geven. 'Pssst, Zeppo,' fluistert hij.
Hij schuift een paar erwtjes op zijn lepel
en steekt hem uit naar de hond. Kwis-
pelend komt Zeppo naar hem toe, want
Zeppo heeft altijd wel zin in een lekker
hapje.
Zeppo kijkt naar de lepel.
Zeppo snuffelt aan de lepel.

Zeppo likt aan de lepel.
Dan draait hij zich om en wandelt weer
weg, terug naar zijn mand in de zon.
Hij eet de erwtjes niet.
Hij eet de erwtjes NIET.
Natuurlijk niet. Zeppo is de slimste hond
van de wereld en slimme honden eten
geen erwtjes. Waarom zou je griezelige
groene erwtjes eten als je iedere dag ver-
rukkelijke, knapperige, sappige, rode
brokjes krijgt?

Wat dan? Opeten?

Nee! Hij moet ze verstoppen. Hij moet ze verstoppen waar het groen is. Daar waar mama ze niet ziet, waar ze ze nooit zal vinden. Ze zal denken dat hij ze op heeft en dan krijgt hij vla. Heerlijke, zachte, zoete, gele vla. Vlug stopt hij er een in iedere tulp in de vaas op tafel. Hij prikt ze als bloemetjes op de stekels van de cactus bij het raam. Hij legt ze in de fruitschaal naast de appels en onder de banaan.

En dan komt mama binnen. Met het pak vla in haar handen. Epke heeft nog twee erwtjes over. In iedere hand één griezelig groen erwtje.

Waar moeten ze heen?

WAAR moeten ze heen?

Hij brengt zijn handen naar zijn hoofd.
Floep, daar verdwijnt er een achter zijn
oor in zijn krullen. Floep, daar verdwijnt
de tweede achter zijn andere oor in zijn
krullen. En hup, weg zijn de erwtjes.
'Epke! Ik ben zo trots op je. Je hele bordje leeg!' zegt mama. Ze maakt het pak
open en giet zijn beker vol met vla. Ze
aait hem over zijn bol.
Epke zit stil, muisstil, maar het gaat goed.
De erwtjes blijven verstopt in zijn haar.
Mama ziet ze niet. Hij pakt de beker en
neemt een grote slobberslok van de vla.
Heerlijke, zachte, zoete, gele vla!
Mama geeft hem een dikke zoen op zijn
hoofd. 'Weet je wat?' zegt ze, 'omdat je
erwtjes zo lekker vindt, eten we ze morgen weer!'

Dikkie Dik Speelgoedmuis

Dikkie Dik is op muizenjacht.
Kijk, daar zit er eentje, naast Poezenpop.

De muis doet niets. Het is geen echte
muis, maar een speelgoedmuis.

Dikkie Dik gooit zijn muis de lucht in. Wat kan hij ver gooien!

De muis rolt de hele kamer door en verdwijnt in een muizenhol.

Dikkie Dik kan er net niet bij.
'Muis, kom eruit!' roept hij in het hol.

Uren zit Dikkie Dik te wachten. Waarom
komt zijn speelgoedmuis nou niet terug?

Poppetje aan zee

Het is heerlijk weer, de zon schijnt en de lucht is blauw.
Poppetje en Poppelientje gaan vandaag een dagje naar zee.
Samen lopen ze in de duinen.
Duinen zijn hoge bergen van zand, met gras erop.
Als ze boven op de duinen staan, kunnen ze de zee zien en
het strand.

'Wauw,' roept Poppetje. 'De zee zit helemaal vol met water
en het strand lijkt wel een grote zandbak!'
Poppetje en Poppelientje rennen naar beneden, ze willen zó
ontzettend graag spelen in het zand.

Poppetje en Poppelientje bouwen een zandkasteel.
Eerst maken ze samen een grote berg.
Daarna doet Poppelientje zand in een emmer, tilt hem op en
kiept hem om. Hé, dat is een mooie vorm, denkt Poppelientje.
Ze maakt heel veel mooie vormen.
Het worden de torens van het kasteel.
Poppetje kruipt op zijn knieën door het zand.
Hij zoekt schelpen en verzamelt die in een andere emmer.

'Ik heb wel honderd schelpen,' zegt Poppetje en trots laat
hij zijn volle emmer aan Poppelientje zien.
Samen versieren ze met alle schelpen het zandkasteel.
'Het is een mooi kasteel,' vindt Poppetje.
Poppelientje lacht, ook zij vindt het zandkasteel prachtig!

Nu gaan Poppetje en Poppelientje verstoppertje spelen.
Poppelientje gaat zich het eerst verstoppen en Poppetje doet
zijn handen voor zijn ogen.
Hij telt tot tien...Wie niet weg is, is gezien!
'Ik kom!' schreeuwt Poppetje.

Ja hoor, Poppetje heeft Poppelientje gevonden.
Dan is Poppetje aan de beurt om zich te verstoppen.
Poppelientje gaat hem zoeken.
Ze zoekt bij de palen en achter het zandkasteel.
'Poppetje, waar ben je?'
'Hier!' lacht Poppetje vanonder de handdoek.

Poppetje en Poppelientje mogen in de zee.
Poppetje zit al in het water. 'Het is heerlijk! Kom je ook?'
roept hij naar Poppelientje.
Poppelientje voelt eerst met haar tenen. Oeps, het
water is een beetje koud. Ze durft eigenlijk niet zo goed.
Maar plotseling komt er een golf en ineens is ook haar buik nat.

Poppelientje gaat naast Poppetje in zee zitten en samen
hebben ze veel lol.
Ze spelen in de golven.
Soms zijn de golven erg hoog, dan worden Poppetje en
Poppelientje helemaal nat en moeten ze erg lachen.
'Jaaa, daar komt er weer eentje!'

De dag is bijna voorbij. Poppetje en Poppelientje gaan nog
wat schelpen zoeken om mee naar huis te nemen.
En daarna krijgen ze… een ijsje!
'Ooo, lekker!' zegt Poppetje.
'Mmm!' zegt Poppelientje.
Dat is genieten!

Als het ijsje op is, is het tijd om naar huis te gaan.

Dag zee, dag strand!

De speelgoedwinkel

Herfst

'Kijk Basje,' zegt Boris, 'de grond ligt bezaaid
met eikels – ze zijn uit de bomen gewaaid!'

94

'En daar hangt een spin aan een stevige draad.
Ik denk dat hij straks naar zijn spinnenweb gaat.'

95

Dans je mee?

Een, twee...
Dans je mee?
Draai een rondje...

Kwispel als een hondje...
Zwaai met twee handen...

Klapper met je tanden...
Stamp drie keer...

Spring op en neer...
Buig en ga weer staan.
Applaus. Fantastisch gedaan!

Lopen in een grote regenplas

Het regent! Het regent! Het regent dat het giet. En er zijn grote plassen op straat. En het water stroomt uit de goten. Niemand gaat uit. Maar Jip wel. Want Jip heeft een heel regenpak. En Jip heeft laarsjes. Jip kan ertegen. Eerst stapt hij over de plassen heen. Dan loopt hij er voorzichtig door. En dan gaat hij midden in een plas staan. En hij stampt heel hard, zodat het water om zijn oren springt.

En Janneke? Janneke zit voor het raam. Zij heeft geen regenpak. En geen laarsjes. En daarom mag ze niet op straat. Ze is erg jaloers op Jip. Arme Janneke. Ze kijkt maar en ze kijkt maar. En Jip maakt kunsten voor haar. Hij loopt nu heel hard en springt dan midden in de plas. Hoei, wat spat dat water hoog!

'Moeder,' vraagt Janneke, 'mag ik heel eventjes?'

'Je zult natte voeten krijgen,' zegt moeder. 'Je hebt geen laarsjes.'

Dan komt Jannekes vader binnen. Hij zegt: 'Ik weet wat. Je mag mijn laarzen aan. En je mag eventjes met Jip op straat.'

Janneke krijgt vaders laarzen aan. Wat zijn die groot! Ze kan bijna niet lopen. Maar ze gaat toch bij Jip in de plas staan, en zegt: 'Kijk.'

'Ha,' roept Jip, 'nu ben je net Kleinduimpje.'

Janneke probeert heel hard te lopen, net als Kleinduimpje.

Maar o! O! Daar valt ze!

Met haar neus in de plas.

Nu is Janneke helemaal zwart. Van de modder.

'Kom Jip,' roept Jips moeder.

'Kom Janneke,' roept Jannekes vader.

De pret is uit. Janneke moet in bad.

'Het was maar eventjes,' zegt Janneke, 'maar het was toch fijn.'

105

Roosje vindt een tas

Haar arm is te kort.
Haar been is te kort.
Er ligt een tak in de tuin.
Die is niet lang genoeg.

Niets is lang genoeg.
Straks pakt iemand de tas.
Dat mag niet, dat zou erg zijn.
Dan was die mooie tas weg.

Roosje vindt een tas.
Ze staat zelf in de tuin.
Bij hun eigen tuinhek.
En de tas ligt op straat.

Roosje mag niet op straat.
En dat doet ze ook niet.
Maar daar ligt wel die tas.
Onder de boom op de stoep.

Je ziet hem goed liggen.
Tussen veel vieze dingen.
De boom staat niet erg ver.
Maar wel te ver voor Roosje.

Daar komt al een meneer.
Met een hond aan een riem.
Als hij de tas maar niet pakt!
De hond staat stil bij de boom.

Roosje heeft de tas toch nog.
Ze kijkt ernaar en ruikt eraan.
Tante Fien heeft zo'n tas.
Maar dan niet rood maar blauw.

O bah. Wat een vieze hond.
'Pas op!' roept Roosje. 'De tas!'
De meneer schrikt van haar.
Hij pakt gauw de tas op.

Roosje hangt de tas om.
De band is wel erg lang.
De tas is wel erg zwaar.
Dat heb je met zo'n tas.

'Hier is je tas al,' zegt hij.
'Er zit niets aan, hoor.'
En dan loopt hij vlug weg.
De hond wil helemaal niet.

Roosje was een mevrouw.
Ze wandelt langs Piet Poes.
'Mooi weer,' zegt ze beleefd.
'De groeten aan je moeder.'

107

Piet zwaait met zijn staart.
Roosje zwaait terug.
RRRRIIIINNNGGG!
Roosje en Piet schrikken.

Dat deed de rode tas.
RRRRIIIINNNGGG!
Er zit een telefoon in.
RRRRIIIINNNGGG!

Roosje kijkt gauw in de tas.
Ja, daar heb je de telefoon.
Ze weet hoe een telefoon moet.
Papa heeft het haar geleerd.

'Niet hallo roepen,' zei papa.
'Netjes je naam zeggen.
Altijd: Met Roosje van Doorn.'
Dus dat gaat Roosje doen.

Ze drukt op de knop.
'Met Roosje van Doorn.'
'O,' zegt de telefoon.
'Heb jij mijn tas gevonden?'

'Ja, bij de boom,' zegt Roosje.
'Waar woon je dan, Roosje?'
'Dat weet ik niet,' zegt Roosje.
'Mama weet het. Wacht maar.'

Ze rent naar de open tuindeuren.
'Mama, waar woon ik?' roept ze.
'Lindenlaan elf,' zegt mama.
'Lindenlaan elf,' zegt Roosje.

Dan komt er een rode fiets aan.
Er zit een meisje op in een rode jas.
Je ziet zo dat de tas van haar is.
En ja hoor. Ze zegt: 'Dag Roosje.'

Roosje houdt de tas omhoog.
'Dank je wel,' zegt het meisje.
Ze geeft Roosje een hand.
En ze rijdt weg op de fiets.

Maar ze komt weer terug!
Met een taart en een rood tasje.
Voor de eerlijke vinder.
Voor Roosje.

'Ik kom eraan,' zegt de telefoon.
Roosje gaat bij het hek staan.
De tas hangt aan haar schouder.
Hoe zou de mevrouw eruitzien?

Er komen veel mensen langs.
Maar ze kijken niet eens.
Van wie zou de tas zijn?
Van die mevrouw? Van die?

109

De verjaardag

Kleine Ezel is van mij!

'Zul je braaf zijn, m'n ezeltje? Over een
uurtje ben ik terug.'
Mamma Ezel moet naar de dokter en
daarom gaat Kleine Ezel bij Kleine Ibis
spelen. Hij heeft daar geen zin in, want
Kleine Ibis doet nooit lief tegen hem.
'Ze wil alleen maar met Jakkie spelen,'
zegt hij, 'en niet met mij.'
'Welnee,' zegt mamma Ezel, terwijl ze
haar jas aantrekt. 'Schiet nou op, anders
kom ik te laat.'
'Daar ben je dan,' zegt Ibis. 'Ga maar fijn
met Kleine Ibis spelen.'
Hij wijst op een deur.

Achter de speelgoedwinkel van Ibis is een
klein kamertje. Kleine Ezel is nog nooit
in dat kamertje geweest. Verlegen stapt
hij naar binnen.
Wat ligt er hier veel speelgoed! Het lijkt
de winkel van Ibis wel.
Tussen al dat speelgoed zit Kleine Ibis.
Boos kijkt ze naar Kleine Ezel.
'Wat kom je doen?'
'Spelen,' zegt Kleine Ezel zacht. 'Mamma
is naar de dokter.'

112

'Ik ben al aan het spelen,' zegt Kleine Ibis. Ze heeft een pop op schoot en is haar haren aan het kammen. 'Ik speel met mijn zusje.'
Kleine Ezel kijkt om zich heen. In een oude leunstoel zit een bruine teddybeer. Hij neemt de beer in zijn pootjes. 'En dan was hij ons broertje.'

Meteen springt Kleine Ibis op om de beer af te pakken. 'Van mij!'
Ze stopt de beer in een kast en gaat tegen de deur aan zitten.
Ach, kijk nou, daar ligt Jan Klaassen!
Wat zou Kleine Ezel graag zo'n pop willen hebben. 'Zullen we poppenkast gaan spelen?' stelt hij voor.
'Van mij!' zegt Kleine Ibis, en ook Jan Klaassen verdwijnt in de kast.
Zie je nou wel dat Kleine Ibis niet lief is?

Onder de tafel ligt een bromtol, maar Kleine Ezel durft er niet aan te zitten.
'Jij hebt veel speelgoed,' zegt hij.
Kleine Ibis knikt trots. 'Van mijn vader gekregen. Dan kan ik spelen als pappa in de winkel moet werken. Niemand heeft zoveel speelgoed als ik.'
'Moet jouw pappa vaak werken?' vraagt Kleine Ezel.
'Bijna elke dag,' zegt Kleine Ibis. 'En als de winkel dichtgaat, komt pappa naar me toe.'
Kleine Ezel heeft een idee. 'Zullen we in de winkel gaan kijken?' vraagt hij. 'We gaan je vader helpen.'

Kleine Ibis schudt haar kop. 'Dat mag niet van pappa, dan wordt hij boos.'
Ze legt de kam van haar pop neer en zucht. Ineens ziet ze er droevig uit.
Kleine Ezel kijkt om zich heen. Wat zal hij eens gaan doen, nu hij nergens mee mag spelen?
Hij klimt in zijn wagentje, want daar zat hij ook in voordat mamma naar de dokter moest. Het wagentje was zijn schip.
Met een tak roeit hij over de grond. Het spel is niet zo fijn als daarstraks, toen hij thuis was.
Wat blijft mamma Ezel lang weg...

114

'Wat doe jij?' vraagt Kleine Ibis.
'Ik ben aan het varen,' zegt Kleine Ezel.
Kleine Ibis legt haar pop op de grond.
Aarzelend komt ze bij Kleine Ezel staan.
'Ik heb een écht schip,' zegt ze. Ze laat
Kleine Ezel een piepklein scheepje zien.
'Van pappa gekregen.'
'Daar kun je niet in zitten,' zegt Kleine
Ezel.

'Nee...' zegt Kleine Ibis.
'In mijn schip wel,' zegt Kleine Ezel. 'Het
is een zeeroversschip.'
'O...' zegt Kleine Ibis.
'Schip ahoy!' roept Kleine Ezel.
Kleine Ibis trekt een pruillip.
'Kom erbij,' zegt Kleine Ezel.

115

Ja!' zegt Kleine Ibis. Meteen klimt ze in het zeeroversschip. 'Ik was de kapitein,' zegt ze. 'Vooruit, varen.'
Kleine Ezel stapt uit het zeeroversschip en trekt het door de kamer. Het schip vaart door de oceaan. 'Kijk uit voor de hoge golven! Storm op zee! We gaan die pop redden en ook Speelgoedezel!'
'Ja!' roept Kleine Ibis uit. Ze glimlacht. Gauw vaart Kleine Ezel zijn schip langs de pop. Kleine Ibis vist haar uit het water. Net op tijd, want de pop was bijna opgegeten door een gevaarlijke haai.

'Wacht!' zegt Kleine Ibis.
Ze rent naar de kast en haalt de teddybeer en Jan Klaassen en nog veel meer poppen tevoorschijn. 'Die gaan we ook redden,' zegt ze en meteen gooit ze ze allemaal door de kamer.
Snel, steeds sneller vaart het schip door de oceaan. Kleine Ibis giert het uit.

117

Ze varen naar Amerika, tussen wel duizend walvissen door, en ook weer helemaal terug. Ze varen naar Afrika en daar
vechten ze met leeuwen. Ze varen naar...
Hé, wat doet die oude Ezel daar ineens,
zomaar midden in de zee?

'Daar ben ik eindelijk weer,' zegt mamma
Ezel. 'Het was druk bij de dokter, daarom
duurde het zo lang. Hebben jullie fijn gespeeld?'
'Ik was de kapitein,' zegt Kleine Ibis.
Hè wat jammer nou, dat mamma Ezel nu
al terug is.
'Tijd om naar huis te gaan,' zegt ze.
Met een zucht pakt Kleine Ezel het
touwtje van zijn wagentje, gehoorzaam
loopt hij met mamma Ezel mee.
Maar op dat moment slaat Kleine Ibis
haar vleugels om hem heen en zegt: 'Van
mij!'

118

Schoenen

Toen Wies nieuwe schoenen moest, was
ze eerst heel blij. Om de nieuwe schoenen, natuurlijk. Maar ook omdat haar
voeten groter waren geworden. Want als
je voeten groter zijn, ben je gegroeid.
Op weg naar de winkel zei ze tegen
mama: 'Groot zijn is leuker dan klein.'
Eerst snapte mama het niet.
En toen ze het wel snapte, zei ze allemaal
dingen die Wies niet snapte.
'Helemaal niet,' zei mama. 'Klein zijn is
veel leuker, omdat...
je dan de hele dag mag spelen
je geen boodschappen hoeft te
doen
je geen eten hoeft te koken
je niet hoeft te gaan werken
je geen geld hoeft te verdienen
en nog veel meer...'

119

Wies liet mama's hand los en stopte haar
vingers in haar oren. Keihard riep ze:
'Maar ik wil graag groot zijn
en boodschappen doen
en eten koken
en werken
en geld verdienen!'

Wies wilde kwaad worden, omdat mama
haar niet snapte. Ze was helemaal niet
blij meer.
Maar mama begon te lachen. Ze hurkte,
zomaar midden op straat, en gaf Wies
een zoen. Ook zomaar midden op straat.

Met de nieuwe schoenen is Wies heel blij.
Ze heeft ze zelf uitgekozen. Groot, hè?

Alle eendjes zwemmen in het water

Alle eendjes zwemmen in het water.
Falderalderiere, falderalderare.
Alle eendjes zwemmen in het water.
Fal de ral de ral de ral de ral de ral de ral.

Bij de banketbakker

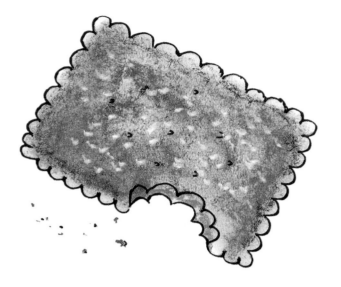

heb alle taartjes nodig voor de gasten van
vanavond. En bovendien moet u niet zoveel snoepen, dat is niet goed voor kleine
kinderen.'
Maar Prins Vads wilde zo verschrikkelijk
graag snoepen dat hij iets deed wat helemaal niet mocht. Toen de schildwacht
even niet oplette, liep hij gauw het hek
van de paleistuin uit. Hij holde zo hard
als hij kon naar de winkel van de banket-

Prins Vads had zin om lekker veel te
snoepen en hij vroeg aan zijn moeder, de
koningin, of hij een koekje mocht.
'Nou vooruit,' zei zijn moeder. 'Eén
koekje.'
'Mag ik nog een koekje?' vroeg Prins
Vads, toen hij het ophad.
'Nee,' zei zijn moeder, 'één koekje is
genoeg.'
Prins Vads vond één koekje helemaal
niet genoeg. Hij liep gauw naar de keuken om de kok te vragen of die een lekker taartje voor hem had.
'Daar komt niks van in,' zei de kok. 'Ik

bakker, een eindje verderop.
'Wat zal het zijn?' vroeg de banketbakker.
'Ik wil een appelbol,' zei Prins Vads.
Hij kreeg een appelbol en at hem meteen
lekker op. Daarna vroeg hij een gevulde
koek en die at hij ook gauw op. Ten
slotte vroeg hij ook nog een pak stroopwafels. Eén stroopwafel at hij helemaal
op. En hij nam ook nog een paar hapjes
van de tweede. Maar eigenlijk had hij

124

helemaal geen trek meer. Hij stopte de
halve stroopwafel weer terug in het pakje,
propte alles in zijn zak en liep naar de
deur.
'Dag meneer,' zei hij tegen de banketbakker.
'Ho ho,' zei de banketbakker. 'Je moet
nog betalen.'

'Betalen?' vroeg Prins Vads.
'Ja, betalen,' zei de banketbakker. 'Cent-
jes. Geld. Ik krijg vijf euro vijfennegentig
van je.'
'Ik heb geen geld,' zei Prins Vads.
'Als je geen geld hebt, moet je ook niks
kopen,' zei de bakker. 'Vijf euro vijfennegentig.'

125

'Maar ik ben een prins,' zei Prins Vads.
'Prinsen hoeven nooit te betalen.'
'Bij mij wel,' zei de banketbakker.
'Hier,' zei Prins Vads, 'hier heb je de stroopwafels weer terug.' En hij viste het aangebroken pak stroopwafels uit zijn broekzak.
'Die zijn helemaal verkruimeld,' zei de banketbakker. 'Die kan ik niet meer verkopen. Vijf euro vijfennegentig.'
'Prinsen hebben nooit geld,' zei Prins Vads.

'Dan moeten prinsen maar werken voor wat ze opeten,' zei de banketbakker.
'Kom me maar helpen met deeg kneden.'
Hij nam Prins Vads mee naar de bakkerij achter de winkel. Daar stond een bak met meel en melk en rozijnen en suiker. Dat moest Prins Vads allemaal goed door elkaar husselen met zijn handen en er flink in knijpen. Net zolang tot het mooi glad deeg was geworden, waar je de fijnste taartjes van kunt bakken.
Intussen was het hele paleis in rep en

126

roer, omdat ze gemerkt hadden dat Prins Vads weg was. Iedereen ging op zoek. En uiteindelijk vond de lakei Prins Vads bij de banketbakker. Prins Vads moest meteen mee naar huis, maar hij wilde eigenlijk helemaal niet weg.

'Morgen kom ik weer terug,' zei hij tegen de banketbakker. 'Dan kom ik je weer helpen, want deeg kneden vind ik nog leuker dan kleien.'

'Dat is goed,' zei de banketbakker. 'Als het tenminste mag van je moeder.'

Thuis hoefde Prins Vads niet meer te eten, want zijn buik zat nog steeds vol. Maar hij moest wel in bad en goed zijn tanden poetsen natuurlijk. En daarna ging hij lekker knorren in zijn warme bedje.

127

128

Basje springt rond en hij blaft van plezier.
Sneeuwballen vangen? Ja, hap, geef maar hier!

Maar schaatsen doet Basje het liefst op een stoel,
met Boris er achter – een veilig gevoel!

129

Zwemmen

Keetje loopt heel langzaam over de gang.
Ze houdt haar potje vast. In het potje zit
een plas. Daarom loopt Keetje zo voorzichtig. Ze wil niet dat de plas eruit wiebelt.
Mama houdt de deur van de wc open.

'Toe maar,' zegt ze.
Keetje schuifelt naar binnen. Ze kiept het
potje om boven de wc. Dan duwt ze op
het hendeltje. Mama en Keetje kijken samen hoe het water Keetjes plas wegspoelt

door het gat onderin.

'Dag plas!' zegt mama.

Keetje zwaait. 'Dag plas!' Dan trekt ze aan mama's mouw. 'Waar gaat mijn plas eigenlijk naartoe?' vraagt ze.

'Naar de zee,' zegt mama. 'Naar alle andere plasjes. Gezellig hoor.'

Daarna gaat mama aardappels schillen in de keuken. Keetje mag in de kamer spelen. Wat zal ze eens gaan doen? Met de bal rollen? Dat is niet zo leuk in je eentje. Met de poppenwagen dan? Keetje rijdt een rondje door de kamer. Echt spannend is het niet. Maar dan ziet ze de eendjes liggen. De eendjes die ze gisteren van de buurvrouw heeft gekregen. Blauw, geel en roze zijn ze. Die willen vast wel met haar spelen.

'Wat zullen we doen, eendjes?' vraagt ze. 'Van de tafel springen?'

De eendjes zeggen niks.

'Of in de vrachtauto rijden?'

De eendjes zeggen nog steeds niks.

Keetje denkt na. Ineens weet ze het. 'Jullie willen natuurlijk zwemmen,' zegt ze. 'In de zee. Net als mijn plasje!'

Ze pakt de eendjes op en loopt naar de wc.

Hop! Daar vliegt de gele eend al door de lucht. Met een plons landt hij in de pot.

Hop! Daar gaat de blauwe.

En hop! Daar gaat de roze.

Keetje kijkt over de rand van de wc.

De eendjes dobberen dicht tegen elkaar aan. 'Zijn jullie klaar om naar de zee te gaan?' vraagt ze. 'Ja? Veel plezier!'

En ze duwt op het hendeltje.

131

Er spoelt een heleboel water de wc in.
De eendjes duikelen over elkaar heen. Ze
botsen tegen de kant. Maar ze verdwij-
nen niet door het gat.
'Hoe kan dat nou?' vraagt Keetje zich
hardop af. 'Wacht, ik trek nog een keer
door. Dag, eendjes!' Ze zwaait.
Er komt weer water. Het spat over de
bril. Maar de eendjes zijn er nog.
Keetje schudt haar hoofd. 'Arme eendjes,'
zegt ze. 'Ik help jullie wel.'
Ze stopt haar arm in de wc en duwt de
eendjes naar beneden. Maar ze springen
meteen weer omhoog. Nog eens duwt
Keetje. En weer springen de eendjes
terug. De spetters vliegen in het rond.
Keetjes arm wordt nat. En haar haar. En
haar bloesje. Ze krijgt het koud. En de
eendjes zijn er nog steeds. Het is helemaal geen leuk spelletje meer.
Dan trekt mama de wc-deur open. 'Keetje!' zegt ze. 'Wat doe je?'
Keetje begint te huilen. 'Het lukt niet,
mama. De eendjes willen naar zee. Maar
ze gaan niet door het gat!'
'O,' zegt mama. 'Willen de eendjes wel zo
graag naar zee? Volgens mij willen ze in
bad. Het zijn badeendjes.'
'Badeendjes?' vraagt Keetje.
'De wc is voor plasjes,' zegt mama. 'En
het bad is voor eendjes. En natte kindjes.
Kom maar snel.'
Even later zit Keetje in een lekker warm
bad. Met de eendjes. Ze zeggen nog
steeds niks. Maar ze kijken wel vrolijk!

132

Bronvermelding

Lange broek
Uit: Jet Boeke, *Het dikkerdandikke avonturenboek*
Gottmer 1999. Tekst Arthur van Norden

Eitjes
Truusje Vrooland-Löb 2013. Illustraties Jan Jutte

Jelle en de baby
Uit: Jacques Vriens, *Jelle en de baby*. Kitt 2003
Illustraties Suzanne Diederen

Het ijsje
Lizette de Koning 2013. Illustraties Linda de Haan

De kinderboerderij
Dagmar Stam 2013

het huis van nijntje
Uit: Dick Bruna, *het huis van nijntje*
Mercis 1997

Een, twee, drie, vier
Uit: Mies van Hout, *Daar buiten loopt een schaap*
Lemniscaat 2010

Lente
Uit: Nannie Kuiper, *Alle maanden van het jaar*
Ploegsma 2007. Illustraties Alex de Wolf

Ik wil een Tuutje
Uit: Kathleen Amant, *Ik wil een Tuutje*. Clavis 2004

Het cadeautje
Vivian den Hollander 2013
Illustraties Jeska Verstegen

Wie kan het mooiste tekenen?
Uit: Annie M.G. Schmidt, *Jip en Janneke*
Querido 2005. Illustraties Fiep Westendorp

De peuterspeelzaal
Dagmar Stam 2013

Het eiland dat van niemand is
Maranke Rinck 2013
Illustraties Martijn van der Linden

Een nachtje in de tent
Elisa van Spronsen 2013
Illustratie Esther Leeuwrik

Kleuren kun je eten
Alex de Wolf 2013

Op een grote paddenstoel
Uit: Mies van Hout, *Op een grote paddenstoel*
Lemniscaat 2010

Muis – tegenstellingen
Uit: Lucy Cousins, *Muis groot, Muis klein*
Leopold 2007
Oorspronkelijke titel: *Maisy big, Maisy small*
Copyright © 2007 Lucy Cousins
Maisy™. Maisy is a registered trademark of
Walker Books Ltd, London
Reproduced by permission of Walker Books Ltd,
London SE11 5HJ

Ziek
Els van Delden 2013. Illustraties Els van Egeraat

Zomer
Uit: Nannie Kuiper, *Alle maanden van het jaar*
Ploegsma 2007. Illustraties Alex de Wolf

In het kleedhokje
Vivian den Hollander 2013
Illustraties Jeska Verstegen

Ik zag twee beren
Uit: Mies van Hout, *Op een grote paddenstoel*
Lemniscaat 2010

De erwtjes van Epke
Mina Witteman 2013
Illustraties Natascha Stenvert

Speelgoedmuis
Uit: Jet Boeke, *Het dikkerdandikke avonturenboek*
Gottmer 1999. Tekst Arthur van Norden

Poppetje aan zee
Henny Schakenraad 2013
www.poppetje-poppelientje.nl

De speelgoedwinkel
Dagmar Stam 2013

Herfst
Uit: Nannie Kuiper, *Alle maanden van het jaar*
Ploegsma 2007. Illustraties Alex de Wolf

Dans je mee?
Uit: Betty Sluyzer, *Dansen springen buigen*
Kimio 2008
Illustraties Pauline Oud

Lopen in een grote regenplas
Uit: Annie M.G. Schmidt, *Een jaar met Jip en Janneke*
Querido 2010. Illustraties Fiep Westendorp

Roosje vindt een tas
Imme Dros 2013. Illustraties Harrie Geelen

De verjaardag
Dagmar Stam 2013

Kleine Ezel is van mij!
Uit: Rindert Kromhout, *Grote helden*. Leopold 2009
Illustraties Annemarie van Haeringen

Schoenen
Els van Delden 2013. Illustraties Els van Egeraat

Alle eendjes zwemmen in het water
Uit: Mies van Hout, *Daar buiten loopt een schaap*
Lemniscaat 2010

Bij de banketbakker
Uit: Ries Moonen, *Prins Vads*. Ploegsma 2008
Illustraties Charlotte Vonk

Winter
Uit: Nannie Kuiper, *Alle maanden van het jaar*
Ploegsma 2007. Illustraties Alex de Wolf

Zwemmen
Lizette de Koning 2013. Illustraties Jeska Verstegen

Andere voorleesbundels van uitgeverij Ploegsma

Het boordevolle boek voor baby's en peuters

Kleertjes uit, pyjamaatjes aan

ploegsma

Het grote voorleesboek voor stoere jongens

Ridders, dino's en piraten

ploegsma

Het grote voorleesboek voor kleine meisjes

Elfjes, pony's en prinsessen

ploegsma

Vrolijk voorleesboek voor kleinkinderen

Het grote opa- en omaboek

ploegsma